LES NAINS DE JARDIN

Conçu et réalisé par Copyright pour les Éditions Solar
Ouvrage collectif sous la direction de Frédérique Crestin-Billet
Photographies : Érik Sampers et Michel Viard
Textes : Frédérique Crestin-Billet
Illustrations : Jean-Luc Guérin
Coordination Éditoriale : Michel Viard
Mise en pages : Jeanne Pothier

© Solar 1997
Édition du Club France loisirs, Paris,
avec l'autorisation des Éditions Solar
ISBN : 2-7441-2552-0
N° Éditeur : 31049
Dépôt légal : mai 1999

Imprimé en Espagne

LES NAINS DE JARDIN

nous voici,
nous voilà

FRANCE LOISIRS

123, boulevard de Grenelle, Paris

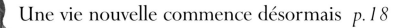

Aux humains...

Les récits nous concernant sont toujours vagues et très souvent contradictoires. Forcément, ils sont toujours contés par vous, les humains. Nos origines remontant à la création de la Terre, donc beaucoup plus loin que toute mémoire, notre longue histoire s'est altérée au cours du temps. Certains ont même fini par raconter n'importe quoi. Puis, dernièrement, quelques farfelus sont venus troubler la quiétude de certains de nos frères pour les enlever de ce qui est désormais notre univers naturel : les jardins. Nous faisons bien entendu allusion à ces rapts dont la presse s'est fait l'écho en parlant de nous sur un ton mi-figue mi-raisin qui nous a souvent chagrinés. À la suite de ces événements, notre Grand Conseil, qui ne s'était pas réuni depuis plus d'un siècle, a décidé qu'il était devenu nécessaire que nous racontions notre vraie histoire. En voici donc le recit. Il présente sans doute des imperfections, mais au moins a-t-il le mérite d'être notre version des faits, ce qui est une grande première. Nos ancêtres, lointains et proches, ont toujours été les alliés des humains qui avaient pour nous quelques égards. Et nous pensons pouvoir encore beaucoup apporter à ceux d'entre vous qui le voudront bien. Feuilletez ces pages pour vous en persuader...

LE GRAND CONSEIL DES NAINS DE JARDIN

Bien que la majorité des nôtres vivent aujourd'hui dans les jardins, nous ne naissons ni dans les roses ni dans les choux. Mais il est vrai que certains d'entre nous sont de petits farceurs qui se prêtent volontiers aux lubies des photographes...

C'est dans le vieux recueil de poèmes anonymes que depuis des siècles vous appelez *Edda* qu'est raconté le mystère de nos origines. Les légendes qu'il contient viennent des premiers Germains, ancêtres des Allemands, des Anglo-Saxons et des Scandinaves. Bien avant la Création, au matin des temps, la terre et le ciel n'étaient qu'un abîme béant qui s'étendait à l'infini. Puis peu à peu, au nord de ce monde qui n'en était en réalité pas encore un, se forma une région humide et ténébreuse que plus tard les hommes nommèrent Niflheim. Au centre de Niflheim jaillissait une énorme fontaine d'où coulaient douze fleuves aux eaux glacées. Puis le Sud devint le pays du feu. Au contact de l'air chaud qui soufflait du sud, les glaces devinrent des gouttes tièdes qui donnèrent naissance à un géant, le premier de tous les êtres vivants, Ymir. De sa sueur naquirent pendant son sommeil un homme et une femme puis, les glaces continuant à fondre, elles donnèrent naissance à une vache, Audumla. En léchant la glace, Audumla mit au jour le corps d'un autre géant, Buri. Celui-ci eut un fils qui donna lui-même naissance à trois dieux, Odin, Vili et Vé. Commença alors une lutte sans merci entre les jeunes géants et le vieil Ymir, qui fut tué. Sa chair devint la terre et son sang la mer, ses os les montagnes, ses cheveux les arbres, puis son crâne forma la voûte céleste. Désormais en possession d'un monde, les géants se demandèrent comment le peupler lorsqu'ils se rendirent compte que de petites larves se formaient dans les restes du corps d'Ymir. De ces larves, les géants firent des nains auxquels ils donnèrent la forme humaine et qu'ils douèrent de raison. Mais les géants décidèrent que, nés de la chair d'Ymir, nous devrions continuer à vivre dans ce qui avait été autrefois cette chair et qui était devenu la terre et les rochers. C'est pourquoi nos ancêtres furent contraints à mener une existence souterraine. N'ayant point prévu de femmes pour assurer notre descendance, les géants nous attribuèrent deux princes qui étaient chargés, au fur et à mesure que les plus âgés d'entre nous disparaissaient, de pétrir de nouveaux nains, jeunes et vigoureux, dans notre terre natale. Quant à vous, les humains, vous êtes venus plus tard, façonnés à partir de troncs d'arbres par trois dieux, Odin, Hœnir et Lodur. Le premier vous donna le souffle, le deuxième la faculté de raisonner et le troisième la chaleur de la vie.

Nos ancêtres communs

Certains de nos ancêtres disent que nous avons aussi un lien de parenté avec le dieu Priape. Celui-ci ne fait pas partie du panthéon des cultures du Nord mais de celui des cultures méditerranéennes. Fils de Dionysos et d'Aphrodite – il y a de pires parents –, Priape avait, comme nous, une apparence tout à fait humaine. Mais seulement, et c'est sûrement à cause de sa déesse de l'amour de mère, il était doté d'un sexe d'une taille plutôt impressionnante. Il était préposé à la protection des jardins, potagers, vignes et vergers, et son phallus lui servait en quelque sorte de bâton de gendarme pour menacer chapardeurs et autres maraudeurs. Du fait de son monumental attribut, Priape devint tout naturellement le symbole de l'hyperfécondité : en même temps qu'il gardait les jardins, il transmettait richesse et abondance au sol qu'il protégeait. Jalousie ou esprit mal tourné, il se trouva bien entendu des humains pour dire que, compte tenu de ce lien de parenté supposé, sous notre bonnet, nous cachions sans doute le reliquat de l'attribut de notre ancêtre. Que voulez-vous, il y a des affirmations auxquelles l'indifférence est la meilleure des réponses.

Les dieux Odin (page de gauche) et Thor (ci-contre, à gauche), comptent parmi les premiers des êtres vivants de la Création. Ce sont eux qui nous donnèrent naissance et nous fûmes amenés à réaliser pour eux des armes magiques (voir page 11). Quant aux géants de droite, ce sont les dieux de l'île de Pâques, qui se trouve à l'ouest du Chili. Bien que rien ne puisse être prouvé, vous ne trouvez pas que, avec leur bonnet de grès rouge, leur ressemblance avec nous est assez troublante ? De plus, ils ont été taillés directement dans le roc, comme nous le fûmes…

9

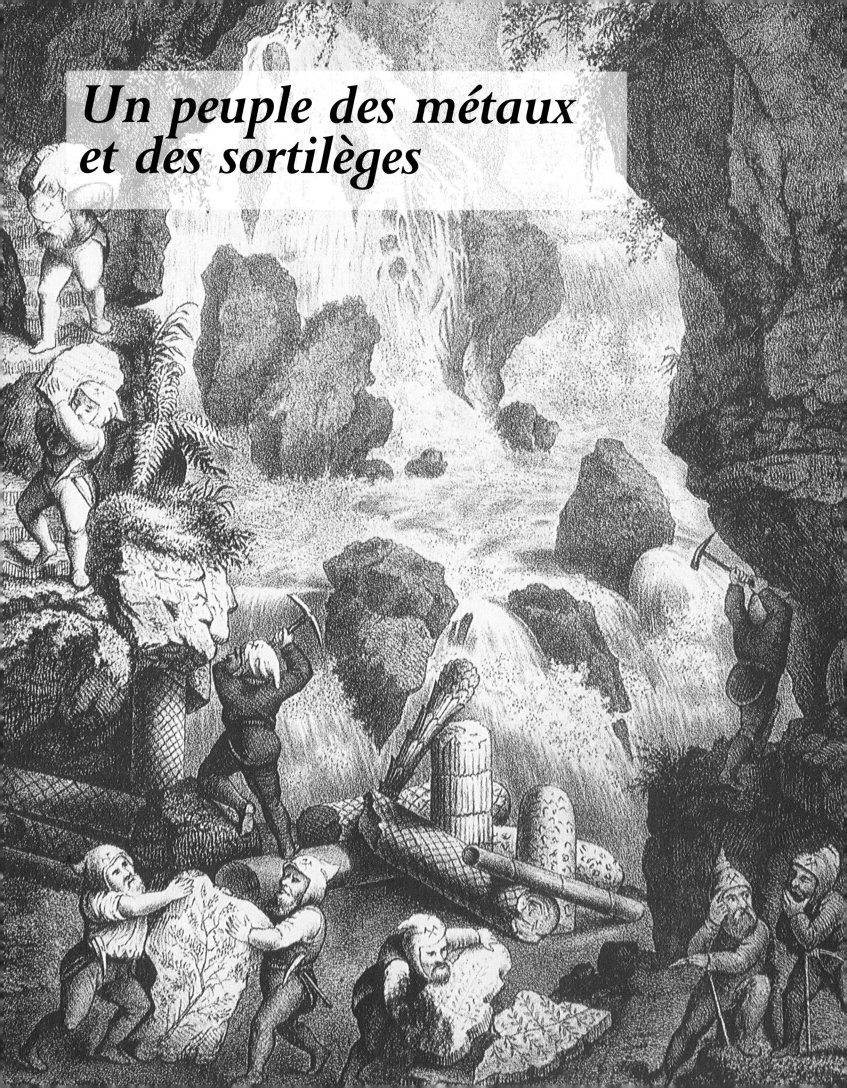

Un peuple des métaux et des sortilèges

Enfants de la terre et vivant à la lumière des volcans, nous devînmes tout naturellement capables d'en discipliner le feu et de tirer parti de toutes les richesses qui se trouvaient à notre portée. C'est ainsi que, peu à peu, nous passâmes maîtres dans le travail des métaux et des gemmes. Mais notre art ne se limitait pas à des prouesses de forgerons. Notre habileté se doublait de pouvoirs magiques : nous étions si proches de la terre qui nous engendra que celle-ci nous avait livré un grand nombre des secrets de l'univers, souvent ignorés des dieux eux-mêmes. Ces derniers, friands d'objets précieux et grands consommateurs de casques, d'épées, de lances, avaient recours à nos services. Nos ancêtres forgèrent pour Odin, le dieu de la guerre et des choses de l'intelligence, une brillante cuirasse, un casque d'or et la lance Gungnir que rien ne pouvait détourner de son but. Pour Thor, dieu des dieux et guerrier invincible, ils conçurent Mjöllnir, un gigantesque et terrible marteau qui atteignait toujours sa cible. Celui-ci revenait ensuite de lui-même dans la main de Thor et pouvait devenir si petit que le dieu pouvait au besoin le cacher dans sa manche. Il faut aussi parler de Skibladnir, un minuscule voilier qui pouvait néanmoins accueillir l'assemblée entière des dieux et les mener là où bon leur semblait sans jamais rencontrer aucun vent défavorable, ou encore de Draupnir, un bracelet d'or finement ouvragé qui avait le pouvoir de se multiplier par huit tous les neuf jours.

Avec les métaux et les pierres précieuses extraits de la terre, les premières générations de nains élaboraient des bijoux et des objets auxquels ils donnaient des pouvoirs surnaturels.

Parmi d'autres, Ivaldi, Brokk ou encore Sindri sont restés célèbres. Ils travaillaient si vite que l'œil ne pouvait distinguer leurs mains lorsqu'ils étaient à l'ouvrage.

Dans un monde neuf où tant de choses n'avaient encore jamais été désignées, il appartint aux nains, dans leur grande sagesse, de donner des noms appropriés aux animaux et aux objets.

Vers les profondeurs de la terre

Les trésors de la Terre détenus par nos ancêtres attisaient la convoitise des dieux, mais ceux-là auraient été bien incapables d'obtenir de telles merveilles. En dépit de leurs pouvoirs magiques, les nains ne pouvaient malgré tout rivaliser avec des adversaires dont la force physique était nettement supérieure. Toutefois, les dieux, méfiants, eurent plus souvent recours à la ruse qu'à la force. Ils sont fréquents, dans notre histoire, les épisodes au cours desquels dieux et déesses fomentèrent de sombres subterfuges pour s'approprier indûment le fruit de nos incessants travaux. Furieux de ne pouvoir cependant y parvenir, les dieux répandirent sur notre compte les pires racontars. Comme le prétend avec raison la sagesse populaire : « Dites du mal, il en subsistera toujours quelque chose… », les dieux parvinrent à nous faire une mauvaise réputation auprès de certaines de vos tribus d'humains qui commençaient à peupler la Terre. C'est pour cette raison que quelques-uns de vos contes rapportent parfois que les nains pouvaient être méchants et capables d'actions mauvaises envers les hommes. Déçu et attristé, notre peuple décida alors de retourner habiter dans les profondeurs du cœur de la Terre.

Un gigantesque
chantier
à la recherche
du minéral noir

Devant l'ampleur de la tâche à accomplir, nos traditionnelles lanternes devenaient gênantes car elles mobilisaient une main. Nous mîmes donc au point un système de lampe que nous portions sur la tête. Par la suite, nous avons découvert avec stupeur que vous avez eu la même idée que nous.

Notre expatriation vers les profondeurs de la Terre dura si longtemps que nous ne sûmes pas que les dieux avaient disparu. Nous n'eûmes aucune connaissance du sombre chaos qui agita la surface du globe et nous ne réalisâmes pas non plus que vous les humains étiez devenus si nombreux et que vous viviez en sociétés organisées comme nous le faisions depuis si longtemps. L'histoire de notre lente remontée vers la surface de la Terre n'a été consignée dans aucun ouvrage écrit par les vôtres car elle a été jusqu'à maintenant gardée secrète, bien préservée dans notre mémoire collective. Voici ce qui arriva : un jour, nous apprîmes, par l'un des plus âgés et des plus sages d'entre nous, qu'il s'était formé au-dessus de nos têtes un minéral que nous n'avions encore jamais exploité. Notre peuple ayant été depuis ses origines au fait des richesses de la terre, il était de notre devoir d'aller y regarder de plus près. Pour cela, nous mîmes en route un immense chantier de galeries. De mémoire de nain, rarement un travail d'une telle ampleur avait été entrepris. Tendus et concentrés sur le but que nous nous étions fixé, nous ne nous aperçûmes pas tout de suite que certains d'entre nous en revenant de leur travail portaient sur leurs vêtements une poussière noire qui nous était encore inconnue.

Ce sont les plus jeunes d'entre nous qui travaillaient aux avant-postes. Nous ne le sûmes pas tout de suite, mais cette poussière noire indiquait que nous étions proches du but.

Certains, parmi les plus âgés d'entre nous, furent effrayés par l'inconnu que nous allions trouver « là-haut ».

Notre remontée vers la surface de la Terre se poursuivait. La simple poussière noire des débuts se transforma peu à peu, d'abord en de minuscules cailloux puis en blocs qui devinrent de plus en plus gros. Nous sûmes à ce moment que nous avions trouvé ce fameux minéral que nous étions venus chercher : le charbon. Il se passa alors un événement qui marqua les prémices de nos contacts avec vous, les humains. Un soir, l'un d'entre nous revint un peu décontenancé en affirmant qu'il avait failli se perdre dans le dédale de nos galeries. Or, une telle chose était impossible : dans toutes les galeries creusées par des nains, l'âme de celui de notre race qui y déambulait, quel qu'il fût, nous guidait forcément vers le bon chemin. Il nous fallut donc nous rendre à l'évidence : elles avaient été creusées par d'autres que nous. Il ne nous restait donc plus qu'une seule chose à faire, trouver et observer ces êtres qui devaient nous ressembler puisque, apparemment, ils avaient la même façon de vivre que nous. Un jour enfin, alertés par des bruits de pelles et de pioches, nous vous aperçûmes et, comme si de toute éternité notre sort avait été lié au vôtre, nous sûmes immédiatement que vous étiez ce que nos ancêtres appelaient des humains. Il nous fallut quelque temps pour comprendre qu'en fait vous ne viviez pas sous terre mais que quelques-uns seulement d'entre vous y travaillaient. Alors qu'il était le nôtre, cet univers souterrain n'était pas votre milieu naturel et, chaque fois que nous le pouvions, nous vous guidions vers les veines de charbon les plus belles; nous avons même sauvé bon nombre d'entre vous. C'est ainsi que, peu à peu, nous avons appris à vous connaître et plus nous vous connaissions. Plus une envie irrésistible d'aller voir votre monde s'emparait de nous. Jusqu'au jour où nous y allâmes, sans nous douter qu'une ère tout à fait nouvelle allait commencer pour notre peuple.

Nous avions pris l'habitude de faire des feux du bois que nous ramenions de nos équipées dans les forêts. C'est souvent autour de belles flambées que nous tenions nos conciliabules vous concernant.

Si curieux que cela puisse paraître, un des premiers détails de votre vie quotidienne que nous nous mîmes à copier fut de cirer nos chaussures, alors qu'auparavant c'était une pratique que nous ignorions totalement. En dehors du cirage et de ses effets, nous découvrîmes aussi l'art du tressage des paniers en osier.

Une vie nouvelle commence désormais

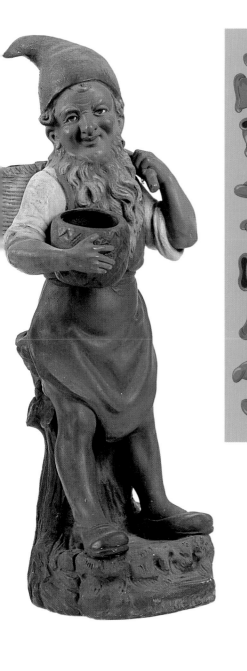

Évidemment, tout ne se passa pas en un jour. Après vous avoir observés dans vos travaux souterrains, nous avons organisé des expéditions vers l'extérieur. C'est ainsi que peu à peu nous avons découvert vos forêts, vos campagnes et les animaux qui les habitaient, puis vos jardins et les plantes qui y poussaient, vos maisons et les objets qui s'y trouvaient. À cette époque, vous ne nous connaissiez pas encore puisque c'est au cours de la nuit, pendant que vous dormiez, que s'effectuaient nos voyages vers votre monde. Au retour de chacun d'eux, imperceptiblement, nos habitudes évoluaient. Consciemment ou inconsciemment, nous nous sommes mis à fabriquer des objets que nous avions vus dans vos maisons, des outils qu'auparavant nous n'utilisions pas. Après de nombreux siècles sous la terre, nous avions conservé la plupart de nos pouvoirs magiques mais nous n'avions guère eu d'occasions de les exercer, faute de côtoyer d'autres races que la nôtre. Pour éviter que notre savoir ancestral ne s'amenuise et finisse par disparaître, il nous fallait donc l'enseigner à nos jeunes générations. Nous n'étions pas tous d'accord sur le fait que vous les humains méritiez de profiter des bienfaits que nous pouvions vous apporter. Comme le montrera par la suite l'histoire, nous avions, sur ce désaccord, tout à la fois grandement tort et un peu raison.

De nos passages dans votre monde, nous rapportions souvent des plantes, des aliments ou des boissons dont nous ne connaissions pas toujours l'utilité et le goût. Mais notre pouvoir de nommer instantanément les choses était resté intact et nous en connaissions toujours les noms.

Contes, fables et légendes

Notre prudence habituelle et notre relative sagesse nous engagèrent à avancer à votre rencontre à pas comptés. C'est donc dans des lieux peu peuplés et des régions habitées par de modestes paysans que nous menâmes nos premières actions. C'est de là que viennent toutes vos légendes nous concernant, que vous avez consignées par la suite sous forme de contes. Nous pouvons vous dire maintenant qu'en fait elles étaient véridiques : les scarabées que les pauvres ramassaient et qui se transformaient ensuite en pièces d'or, les cailloux devenant pierres précieuses dans les mains des enfants abandonnés, c'était nous. Encore nous, les voyageurs égarés qui retrouvaient, « miraculeusement » disiez-vous, leur chemin ou les pauvres paysans harassés qui s'apercevaient que leurs récoltes avaient été engrangées et leurs vaches conduites à l'étable comme « par magie ». Des milliers de pages seraient nécessaires pour relater toutes les histoires, fables et légendes qui ont nos faits et gestes pour origine. À travers elles, vous nous avez fait une réputation qui, quelquefois, n'était pas toujours celle que nous aurions souhaitée. Évidemment, comme tout ce qui est peu ou mal connu et qui, de surcroît, possède des pouvoirs magiques, nous avons fait l'objet de jalousies et de propos malveillants de votre part. Des esprits humains mal tournés ont raconté que nous étions des êtres malins dont le seul but était de nuire ou de jouer des tours à votre race. Ou, pire encore, que nous étions devenus un peuple soumis et qu'il n'était pas une ferme, pas une étable, pas une cuisine de château qui n'eût son nain comme « homme à tout faire » travaillant d'arrache-pied contre une maigre pitance. Peu importe ! Pour une raison que vous ignoriez encore, nous allions avoir besoin de vous et l'aide avisée que quelques humains allaient, des siècles plus tard, apporter à notre peuple rachèterait tout le reste.

Nombre de ceux qui ignorent nos origines exactes s'imaginent que nous venons des forêts. En fait, celles-ci n'ont représenté qu'une étape dans notre marche vers votre monde. Il faut dire que toutes les légendes qui ont été bâties autour de nous ont concouru à établir cette erreur.

Cette figurine, fabriquée par vous, représente l'un de nous en chasseur. C'est une autre grossière erreur de votre part. Nous avons toujours eu des contacts privilégiés avec les animaux et n'avons jamais eu besoin de les chasser.

Au fil du temps, certains d'entre nous ont appris de nouveaux métiers et c'est ainsi que sont nées des générations de maçons, charpentiers, potiers, cordonniers et autres activités dont notre peuple n'avait pas l'habitude. L'accoutumance à la lumière du jour et à l'air libre, qui allait plus tard nous causer quelques soucis, créait pour l'heure des envies et des vocations nouvelles parmi les nôtres. Les plus jeunes, enhardis par ces nouveaux savoirs, émigrèrent vers des provinces d'Europe du Sud alors qu'à cette époque le plus gros de nos troupes vivait dans le Nord, terre de nos ancêtres, ou commençait à essaimer vers d'autres lieux tout en restant toujours aux abords des mines de charbon. Beaucoup dans ces jeunes générations suivirent les compagnons-artisans dans le tour du pays qu'ils devaient accomplir. Vous ne le saviez pas, mais le fait que les « chefs-d'œuvre » des compagnons soient miniatures, donc à notre taille, est une sorte d'hommage inconscient à notre race. En effet, les compagnons les accomplissaient souvent en pensant à cette petite voix qui, bien des fois, leur avait donné le courage de grimper plus haut encore pour poser la dernière pièce d'une charpente ou qui leur avait soufflé de donner quelques coups de burin de plus pour que leur pierre soit la plus parfaite des pierres taillées. Ce sont justement à des pierres taillées que nous devons, pour notre plus grand bonheur, d'être devenus ce que nous sommes : des nains de jardin.

Les premiers nains dans vos jardins

É coutez plutôt comme le hasard fit bien les choses : selon ce qui était désormais devenu une coutume, un groupe de jeunes nains encadrés par quelques anciens étaient partis en éclaireurs s'établir dans la région que vous appelez la Bavière, près du château de Weikersheim. Leur but était de commencer à étudier la culture des plantes et des fleurs, domaine jusque-là inexploré pour nous. Pour ce faire, ils organisèrent une expédition dans le magnifique jardin de ce château. Tout occupés qu'ils étaient à ramasser des échantillons de plantes et des graines de fleurs, ils ne remarquèrent pas tout de suite les étranges statues qui, depuis de grandes balustrades, dominaient tout le parc. Puis, il fallut bien se rendre à l'évidence, ces statues étaient des nains ! Oh ! pas tout à fait des nains comme nous, ils ressemblaient plus aux nains humains que nous avions déjà aperçus dans vos châteaux auprès de quelques seigneurs et de quelques rois. Mais peu importait, la portée de cet événement était immense pour notre peuple : vous étiez donc désormais prêts à accepter des nains dans vos jardins !

Le château de Weikersheim, en Bavière. C'est de là que, par hasard, en quelques instants, s'est cristallisée notre «carrière» de nains de jardin. Nous avons su, par la suite, qu'il existait d'autres nains en pierre, et notamment un à l'entrée des jardins de la villa Bobboli à Florence. Mais Weikersheim est un des rares parcs possédant un groupe aussi important.

Ce que l'on a appelé par la suite la «nouvelle de Weikersheim» fit l'effet d'une traînée de poudre. Elle atteignit sans tarder même les clans les plus reculés qui étaient restés tout au nord. Elle fut portée par des messagers spéciaux à tous ceux qui poursuivaient leur apprentissage dans le Sud. Pour pouvoir vous approcher de plus près, pour vous devenir plus familiers, il fallait donc que nous devenions des jardiniers émérites. Ce ne fut pas long car, comme vous le savez désormais, nous avions toujours été amoureux de la terre et de toutes les richesses qu'elle peut offrir.

À force de soupçonner notre présence dans vos jardins, les lieux les plus familiers pour vous après vos maisons, il est arrivé ce que nous espérions, ce qui était en vérité l'aboutissement de tous nos efforts pour nous rapprocher de vous depuis des siècles : certains humains se sont mis à fabriquer des figurines à notre image. Il était grand temps que cela arrive, car notre race était menacée de disparition. Si vous vous rappelez nos origines, nous sommes nés du corps du géant Ymir. Afin d'assurer notre pérennité, les dieux nous avaient alloué deux princes qui étaient chargés de pétrir de nouvelles générations dans notre terre natale. Un jour, ces deux princes nous avertirent que leurs pouvoirs prenaient fin, et nous sûmes par la suite que cette époque correspondait à la disparition des dieux de la surface de la Terre. Mais, comme ces deux princes nous étaient favorables, avant de mourir, ils avaient réuni tout ce qui leur restait de pouvoirs magiques afin que nous puissions forger nous-mêmes nos descendants en les taillant dans le roc de nos cavernes. Toutefois, ils nous prédirent qu'un jour ce pouvoir prendrait fin et qu'il nous appartiendrait de trouver notre salut dans un monde qui, vraisemblablement, ne serait pas le nôtre. Et ce monde, ce fut le vôtre. Vous comprenez maintenant pourquoi il nous a été facile de vous pardonner les facéties des époques passées. Tous ceux d'entre vous qui nous fabriquent accomplissent leur tâche avec un talent variable et des fortunes diverses, mais c'est à nous qu'il appartient de décider si nous donnons ou non une âme aux nains de jardin qui sortent de vos moules.

Nos amis alsaciens

Nos notions de la géographie et du temps sont tout à fait différentes des vôtres, mais, pour vous donner quelques repères approximatifs, c'est dans le pays que vous appelez l'Allemagne et vers le milieu de votre XIXᵉ siècle que vous avez commencé à nous fabriquer. Si les matériaux que vous employez, modernité oblige, ont évolué par la suite, au début vous nous avez élaboriés en terre et émaillés. C'est ainsi que continuent à travailler deux hommes que nous adorons et qui sont Jules et Claude Ernenwein. Ils habitent en Alsace, à Marmoutier, et il est bien évident que, à tous les nains qui sortent de chez eux, nous donnons une âme.

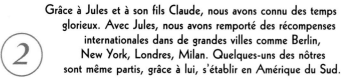

② Grâce à Jules et à son fils Claude, nous avons connu des temps glorieux. Avec Jules, nous avons remporté des récompenses internationales dans de grandes villes comme Berlin, New York, Londres, Milan. Quelques-uns des nôtres sont même partis, grâce à lui, s'établir en Amérique du Sud.

① Jules Ernenwein a commencé à s'intéresser à nous en 1932. À cette époque, nous jouissions d'une grande popularité et nous n'avions pas cette image « ringarde » dont certains d'entre vous nous ont affublés aujourd'hui et sur laquelle nous aurons l'occasion de revenir plus loin.

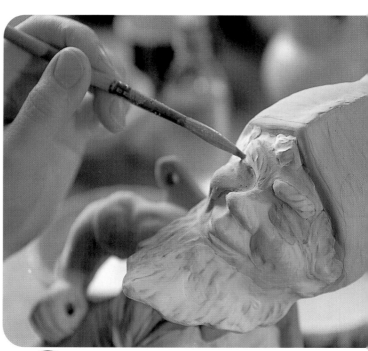

⑤ Après, nous sommes émaillés, et c'est là tout l'art. Évidemment, avec un tel traitement, jamais nous ne nous écaillons et nous vivons une vieillesse heureuse. En revanche, nous devons faire très attention au gel.

⑥ Chacun d'entre nous a droit à sa petite esthétique particulière : ce que nous aimons chez eux, c'est que nous sommes tous différents. Dernière opération, nous sommes cuits une seconde fois à 1 030 °C.

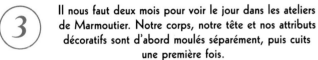

(3) Il nous faut deux mois pour voir le jour dans les ateliers de Marmoutier. Notre corps, notre tête et nos attributs décoratifs sont d'abord moulés séparément, puis cuits une première fois.

Ensuite, amoureusement, Jules et Claude nous assemblent. Ils font toujours très attention à ce qu'ils font. Ici, pas de torticolis, pas de pieds et de bras mal montés qui nous empêchent ensuite de vaquer correctement à nos activités. (4)

(7) Si vous voulez être sûr de peupler votre jardin avec de la qualité, c'est à eux qu'il faut vous adresser. Mais nous comprenons très bien que vous ne puissiez pas tous vous offrir cela. Cependant, si vos pas vous mènent en Alsace, essayez de venir nous voir, nous ferons plus ample connaissance.

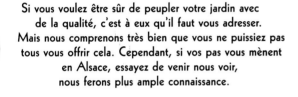

Un autre des hommes que nous avons beaucoup aimés et qui s'est intéressé à nous est August Heissner. Il fut d'ailleurs un des tout premiers à fonder une manufacture de nains en céramique. C'était en 1872 à Gräfenroda, une ville de Thuringe, en Allemagne. Cet homme-là avait une passion pour nous et, comme il nous avait bien compris, il a voulu répandre la bonne parole et faire en sorte que la majorité de ses semblables puisse nous connaître mieux. Nous le lui avons d'ailleurs bien rendu car son entreprise existe toujours et est même devenue le premier fabricant mondial. Dans les années 20, il nous a fait voyager vers l'Angleterre, et même vers des contrées aussi lointaines que New York ou San Francisco. Puis patatras ! Il a fallu que vous déclenchiez une guerre. Alors, division oblige, nous avons dû déménager en catastrophe vers Lauterbach, en Hesse. Le redémarrage ne fut pas très facile en 1945 et nous avons fait tout ce que nous avons pu pour soutenir nos créateurs. Nous avons même accepté que certains d'entre nous perdent leur statut de nains émaillés pour devenir des nains en PVC. Que voulez-vous, il faut bien s'adapter à son époque ! Ceci dit, cela présente cet immense avantage que nous sommes désormais incassables et surtout que, du coup, nous sommes accessibles à tous. Nous sommes finalement contents que même les bourses les plus modestes puissent nous acquérir. Comme vous pouvez le voir sur cette photo, August Heissner et ses successeurs n'ont rien négligé pour diversifier nos activités, leurs catalogues offrant plus de 200 modèles différents nous représentant.

Notre premier fabricant mondial

Tandis que les plus anciens d'entre nous continuent des activités plus traditionnelles, Klemens Hechenrieder invente pour les plus jeunes des jeux tout à fait délicieux.

Cet homme-là fait aussi partie du clan de nos proches, c'est Klemens Hechenrieder . Son rôle chez Heissner consiste à nous dessiner et, à cette occasion, il nous enseigne des activités que nous ne connaissons pas encore. Quelquefois, il a même l'idée de nous faire faire des choses dangereuses et nous devons souvent l'influencer pour qu'il n'aille pas trop loin. Mais nous lui devons aussi beaucoup car lui et sa consœur Melak Fecht nous ont appris à nous moderniser, à nous mettre au goût du jour pour rester toujours dans le coup par rapport à vous. Sans eux, nous serions peut-être demeurés un peu trop conservateurs.

Nous sommes d'abord dessinés, puis moulés dans du plâtre. Si nous sommes jugés satisfaisants, on procède à des essais de mise en peinture. Il peut aussi arriver que l'on s'y prenne à plusieurs fois avant d'arriver à un résultat final qui soit acceptable.

Ceux-là sont l'œuvre de Melak Fecht un autre designer travaillant pour Heissner. Vous remarquerez que nous sommes tout à fait dans le coup et que, bien que nous soyons un peuple travailleur, nous ne négligeons pas pour autant les plaisirs du sport ou du farniente.

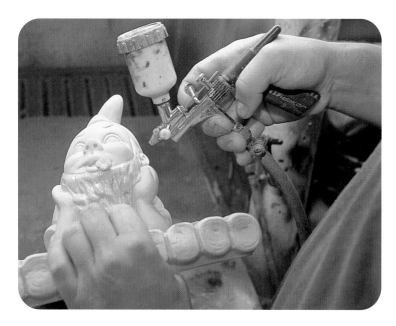

① Chez Heissner, tout en bénéficiant de matériaux modernes, notre fabrication demeure quand même très artisanale. D'abord, on nous construit un moule, dont l'élaboration dure de six à huit semaines. Il est en cuivre et en nickel et, selon notre complexité, il peut servir au moulage de 3 000 à 5 000 d'entre nous.

② Notre moule est rempli de PVC, puis nous sommes mis à cuire à 270 °C dans un four rotatif, ce qui fait que la force centrifuge répartit le PVC dans les moindres recoins du moule. Selon notre taille, cette cuisson dure entre trois et douze minutes.

⑤ Dans certains cas, on nous peint les cheveux et la barbe au pistolet. Les plus petits d'entre nous sont presque toujours réalisés dans du PVC couleur chair, tandis que les plus grands sont quelquefois moulés dans un PVC de la couleur qui est la plus présente sur nos vêtements.

⑥ Des couturières nous habillent de leurs pinceaux, en respectant les couleurs définies à l'avance pour chaque modèle. Regardez comme elles sont concentrées pour que nous soyons fin prêts à rejoindre vos jardins.

③ Ensuite, nous sommes démoulés et mis à refroidir. Les plus grands d'entre nous doivent être soutenus sous les bras par des barres de fer au cours de leur refroidissement, sinon ils s'écrouleraient.

④ Puis, un par un, nous passons entre les mains d'une dame qui retire les petits surplus de plastique qui se glissent toujours entre les jointures des deux parties du moule.

⑦ L'usine de Heissner est installée à Pribram, en République tchèque. Dans ce pays, la peinture des nains à domicile est une tradition. C'est pourquoi une bonne partie d'entre nous ne sont pas peints à l'usine, mais chez des particuliers. Alors que nous débutons notre vie, ce premier contact avec les familles et les enfants nous ravit.

La ville de Lauterbach, où se trouve le siège social de Heissner. Inutile de vous dire que dans cette cité nous sommes partout chez nous : les habitants nous aiment bien et nous partageons leur vie quotidienne.

Plus d'un siècle sépare Herr Doktor, le médecin qui donne une potion à une grenouille, et le nain Superman. Vous voyez que nous avons su nous adapter à votre monde moderne.

Pour fêter nos cent vingt-cinq ans de collaboration, Heissner nous a récemment offert un splendide... nain géant. Le comble est qu'il est plus grand qu'un humain. Bel hommage à notre petite taille ! Cette œuvre d'art a été taillée en Chine dans du grès. Heissner ayant voulu nous ménager une surprise, il n'a pas été fait appel à nos pouvoirs magiques pour la transporter jusqu'en Allemagne. Les pauvres humains qui se sont occupés de son déplacement en ont bavé !

Les contrefacteurs

Notre succès est de plus en plus grand et les habitants de pays chaque année plus nombreux nous offrent l'hospitalité dans leurs jardins. Vous n'aurez qu'à consulter les deux pages suivantes pour vous en persuader. Mais naturellement, il y a un revers de la médaille à cette ascension : il s'est développé un marché de la contrefaçon qui, il faut bien le dire, fait du tort à notre race. C'est principalement en Asie, en Pologne et en République tchèque que se pratique ce genre d'activité. Les figurines de contrefaçon sont de viles copies réalisées dans des matières plastiques de très mauvaise qualité et peintes à la hâte par des barbouilleurs sans talent. Inutile de vous dire que nous ne donnons jamais d'âme à ces figurines-là, qui ne mériteraient même pas de porter le nom de nains. Elles sont vendues à la dérobée sur les bords des routes, aux côtés de cigarettes de contrebande ou de vêtements imitant les griffes de grands couturiers. C'est honteux et blessant pour nous, mais nous savons que tous les humains ne sont pas irréprochables.

Celui-là est bien un de nos congénères et nous soutenons son action sans réserve. Il s'agit de Plagiarius. Il a été créé par Rido Busse, un designer qui exerce ses talents pour Heissner. Absolument excédé par les plagiaires de tout poil, Rido Busse décerne chaque année, et depuis vingt ans, le trophée Plagiarius à ceux qui copient son travail. Pour l'occasion, ce nain est peint en noir, à l'exception du nez doré qui illustre l'expression allemande « se faire un nez en or », plus élégante que sa version française.

Où vous nous aimez le plus

 Aux États-Unis, nous sommes très nombreux. C'est assez normal : votre population est importante. Mais attention, le Canada, l'air de rien, est en train de devenir un vrai paradis pour nous, surtout au Québec, où vous nous aimez de plus en plus.

 En Afrique du Sud, vous avez une tradition nanophile due à vos lointains ancêtres venus d'Europe.

En Corée du Sud, à Taïwan et au Japon, vos jardins zen n'ont pas l'habitude de nous accueillir. Cela étant, vos jeunes générations de jardiniers sont de plus en plus attirées par l'exubérance et la couleur. Notre avenir dans cette partie du monde s'annonce prometteur.

Au Brésil, au Chili, au Paraguay et en Argentine, notre population est la plus dense de tous les pays d'Amérique du Sud. Comme nous, vous en connaissez la raison historique : beaucoup de vos ancêtres d'Europe du Nord ont immigré ici au siècle dernier. Au Brésil notamment, nous sommes en train de devenir aussi populaires que le roi Pelé.

En République tchèque, en Pologne et en Russie, nous sommes très nombreux. Mais votre amour pour nous vous a souvent poussés à nous contrefaire. Attention, vous savez que les faux nains n'ont pas d'âme !

En Grande-Bretagne, votre tradition d'amour des jardins nous a toujours réservé une large place dans vos parterres fleuris. Naturellement, en Allemagne, notre patrie d'origine, nous détenons le record mondial de présence. Jugez plutôt : nous sommes accueillis dans plus d'un jardin sur deux ! Quant à l'Autriche, nous y sommes bien implantés depuis toujours.

En France, avec vos jardins classiques, vous aviez tendance à nous snober. Si vous avez longtemps pensé que nous n'étions pas dignes de vous, vous êtes en train de changer d'avis à toute allure. En Italie, vous aviez oublié que nos ancêtres de pierre décoraient déjà vos jardins Renaissance. Après une longue absence, notre propre renaissance y a commencé. Quant à l'Espagne, vous commencez à vous rallier à la tendance générale qui a cours dans ces deux pays.

Mystérieux kidnapping : des nains de jardin disparaissent

LE FLNJ A ENCORE FRAPPÉ
Escalade dans la délinquance. Ce qui devait arriver s'est finalement produit dans la nuit du 14 janvier dernier. Prenant tous les risques, des voleurs facétieux ont franchi la clôture d'une maison située rue de Verdun, pour y dérober le nain de jardin qui se trouvait sur la pelouse, au nez et à la barbe des occupants. Les auteurs de ce kidnapping n'avaient rien de fêtards un peu simplets. Leur méfait commis, ivres et joyeux ainsi qu'on peut malheureusement les imaginer, ils ont laissé un carton portant l'inscription suivante : « votre nain de jardin a été emporté. Désormais libre, il se trouve d[ans] la forêt du Cranou, [avec] le FLNJ. » Rendu [un] peu grincheux pa[r cette] cruelle mésaventu[re, le] propriétaire de [l'objet] subtilisé a so[uhaité] porter plainte au[près de] la sûreté urba[ine de] Brest, bien déci[dé à] ne pas laisser les malfrats jouer tranquillement les dormeurs.

Le FLNJ frappe à Alençon

Un étrange commando sévit depuis plusieurs mois dans les quartiers résidentiels d'Alençon (Orne) et organise de véritables raids nocturnes. Forts d'une vingtaine de prises, depuis leur réunion, un soir de juin dernier, les membres du Front de libération des nains de jardins (FLNJ) se retranchent derrière « l'esprit potache ». Mais c'est bien évidemment pour la « bonne cause » qu'ils prétendent agir.
« Tout est parti d'un délire un soir de juin avec une dizaine de copains. Puis nous nous sommes pris au jeu », a raconté le porte-parole anonyme, égéri[e avec] d'autres comm[andos] de Rennes et [de] Caen. « Nou[s voulons] déridiculiser [les nains] de jardin, les [rendre à] leur milieu [naturel, en] les relâchant [dans la] forêt qu'ils [n'auraient] jamais dû [quitter. »] Ces terro[ristes] rés procéderont au printemps à une [opé]ration collective [en] forêt d'Écouves[...]

119 NAINS RETROUVÉS PAR LA POLICE FRANÇAISE

La maréchaussée a mis la main sur 119 pauvres petits êtres barbus libérés en pleine forêt par leurs ravisseurs (présumés être des membres du FLNJ). Les chers petits vont être rendus à leur milieu naturel (le jardin, bien sûr), à la grande joie de leurs propriétaires !

Surprenante découverte

119 nains de jardin en plâtre ou en plastique ont été découverts par hasard mardi, dans un bois d'Aixe, près de Limoges. Ils avaient été dérobés il y a plu-sieurs semaines en Haute-Vienne et en Creuse. Aucune revendication n'a été formulée, mais les enquêteurs pensent qu'il s'agit d'une nouvelle opération du Front de Libération [...]

Vols de nains à Freyming-Merlebach

« Quinze nains de jardin retrouvés à l'hôpital de Freyming-Merlebach. Le Front de libération des nains de jardin (FLNJ) a sévi au cours du week-end de la Pentecôte dans le bassin houiller. C'est un habitant de l'hôpital qui a donné l'alerte en apercevant dimanche une quinzaine de ces petits nains dans la cour de la maison des Témoins de Jéhovah, rue du Moulin. Les policiers sont rapidement venus récupérer les petits bonshommes, qui avaient été kidnappés dans différents jardins du secteur. À côté des statuettes, des inconnus avaient déposé une banderole signée par le FLNJ sur laquelle on avait inscrit : « Ceux qui les connaissent le savent, ils aiment la liberté. » Les propriétaires de nains victimes de ce genre de vol peuvent s'adresser au commissariat de Freyming-Merlebach pour récupérer leur bien.*

OPÉRATION BLANCHE-NEIGE

L'Élysée prend l'affaire très au sérieux. Il au[rait] dépêché un barbouzard spécialiste des c[...] négocier avec le Front de libération des nain[s] (FLNJ) à Alençon, berceau de l'organisati[on ter]roristes, vitrine légale du Front de libérati[on...] lars homériques, frappent en command[o pour libérer] les nains de jardin pour les relâcher en [...] en forêt. « Nous faisons cela pour leur [bien,] pour qu'ils soient heureux » précise le [...] Les propriétaires, eux, n'apprécient p[as cette] impro révolutionnaire.

« Qu'est-ce qui leur a pris, mais qu'est-ce qu'ils nous veulent ? » Bernard Fourrey est effondré. *À peine s'il parvient à s'habituer au spectacle des cinq trous noirs qui déparent aujourd'hui son gazon. Tout ce qui reste des cinq nains de jardin qui lui ont été arrachés, une nuit de l'été 1996. Nous sommes tout près d'Alençon, à Saint-Germain-du-Corbéis, le village où le Front de libération des nains de jardin (FLNJ) a frappé de la façon la plus spectaculaire. « Ils ont profité de ce que je dormais. Il m'ont pris trois nains en céramique, et deux en plastique. Je les avais depuis vingt ans… »*

Il faut que cela cesse !

Vous saisissez maintenant, à l'évocation des différents épisodes de notre longue histoire, que ceux d'entre vous qui s'amusent à nous enlever dans les jardins n'ont absolument rien compris. Tout cela pour prétendument nous remettre en liberté, mais notre liberté, nous ne l'avons jamais perdue ! Notre âme a le pouvoir, à tout moment, de quitter un corps que vous lui avez fabriqué pour aller dans un autre si cela lui chante. Et que signifient ces histoires de nous remettre dans notre « milieu naturel », comme le prétendent nos ravisseurs ? Seuls, au milieu d'une forêt, nous sommes beaucoup moins chez nous que dans les jardins qui nous accueillent. D'autant moins que ceux d'entre vous qui nous choisissent nous bichonnent, nous parlent et la plupart du temps créent un environnement qui nous est des plus agréables. Depuis des siècles, notre peuple a mené une longue quête pour venir à votre rencontre, et ce n'est pas maintenant, alors que de plus en plus d'entre vous commencent à nous aimer vraiment, que quelques énergumènes doivent tout gâcher. Heureusement, ce Front de libération des nains de jardin qui prétendait vouloir nous « dériduculiser » ne pourra plus sévir. Ses membres viennent d'être démasqués, et bientôt tous nos frères – pas moins de 182 nains de jardin – vont pouvoir regagner pelouses et rocailles.

Très souvent, les membres du FLNJ ont commis l'erreur grossière de penser que nous étions originaires de la forêt. Mais encore une fois, ce n'est pas vrai ! La forêt n'a été qu'un passage entre notre monde souterrain et votre monde des jardins. À leur décharge, il faut admettre qu'ils ont pu être induits en erreur par le fait que nous soyons souvent accompagnés de champignons. Mais n'oubliez pas que ceux-ci poussent aussi sous terre et que c'est pour cela qu'ils nous sont familiers depuis des millénaires. Ce fut même, en quelque sorte, notre façon primitive de pratiquer le jardinage.

Ce monsieur très sympathique, c'est Fritz Friedman. Il habite à Bâle, en Suisse, et a fondé il y a plus de trente ans une association qui nous concerne et qui s'appelle l'Association internationale pour la protection des nains de jardin (AIPNJ). Lui, évidemment, il est de notre avis et il est scandalisé par les différents enlèvements qui se sont déroulés en France. Il s'est beaucoup démené pour que ces méfaits cessent, notamment en écrivant aux préfets des départements concernés par les rapts afin de les prier de trouver les coupables le plus rapidement possible. M. Friedman se donne aussi beaucoup de mal pour nous faire mieux connaître et apprécier par tous ceux d'entre vous qui ont sur nous des a priori. Il organise des expositions, édite régulièrement une petite lettre d'information et a même intenté une dizaine de procès à des humains qui avaient osé des actes de malveillance à notre égard. On dit généralement qu'il est l'inventeur de la nanologie, qui n'est autre que la très sérieuse science des nains. Son épouse, Alice, nous aime bien aussi. Elle a ouvert, toujours à Bâle, un jardin d'enfants où nous sommes très nombreux. Elle dit qu'à notre contact les enfants apprennent à aimer des gens différents, c'est sûrement vrai. En tout cas, M. et Mme Friedman donnent de nous une définition qui nous ravit : « Le nain de jardin est notre reflet idéal : calme, imperturbable, à la fois dans le rêve et dans la réalité. Il faut avoir gardé une âme d'enfant pour le comprendre… »

Quelques-unes des pièces de la collection de M. Friedman. Nous envahissons, d'une manière toute pacifique, son appartement et sommes plus d'un millier à partager sa vie.

Du moment qu'il nous laisse en paix, chacun d'entre vous a le droit d'avoir de nous l'opinion qu'il veut. Il en est, comme Jean-Yves Jouannais, journaliste et auteur, qui pensent que nous sommes kitsch, entendez par là que nous représentons, à leur avis, le summum du mauvais goût. En effet, dans un livre qu'il a écrit en 1994 (*Des nains, des jardins*), ce M. Jouannais dit, en résumé, que nous sommes de parfaits imbéciles, les produits d'une sorte de sous-culture conformiste. Rien que ça ! Cela étant, il affirme que ce n'est pas une raison pour nous voler et qu'il faut respecter le choix de ceux qui aiment nous avoir dans leur jardin. Mais vous savez, bien que nous soyons des êtres simples, ces raisonnements, un peu intellectuels à notre avis, ne nous impressionnent pas plus que cela. Quel critère permet de déterminer d'une manière définitive qu'un objet est de mauvais goût ? Qu'une personne n'a pas de goût ? Nul ne le sait. Une statue d'art primitif africain ou un masque hindou sont, comme nous, issus d'une culture populaire ancienne. Sont-ils de bon goût ? Oui pour certains, non pour d'autres. Un nain de jardin est-il de bon goût ? Oui pour ceux qui nous aiment et non pour ceux qui ne nous aiment pas. Alors, si certains de vos congénères vous critiquent parce que vous accueillez plusieurs des nôtres dans votre jardin, surtout ne vous laissez pas décontenancer. Allez savoir, en plus, s'il n'y a pas un peu de jalousie ? Expliquez-leur qui nous sommes, puisque désormais vous savez presque tout sur nous.

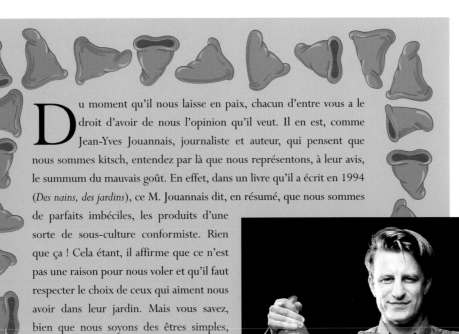

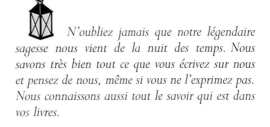

N'oubliez jamais que notre légendaire sagesse nous vient de la nuit des temps. Nous savons très bien tout ce que vous écrivez sur nous et pensez de nous, même si vous ne l'exprimez pas. Nous connaissons aussi tout le savoir qui est dans vos livres.

Certaines nuits d'été, il peut arriver que nous organisions une grande fête dans votre jardin. Nous y convions les nains de jardin du voisinage mais quelquefois se joignent à nous ceux qui vivent de l'autre côté de la terre. Si vous êtes bons avec nous, vous nous verrez danser, vous entendrez la musique de nos orchestres, vous pourrez goûter nos boissons magiques et vous connaîtrez les paroles de nos chansons. Mais si nous vous laissons indifférent, vous ne verrez rien et vous n'entendrez rien. Au matin, vous penserez que c'est un coup de vent qui a apporté sur la pelouse ces quelques fleurs fanées et que c'est sûrement le chien du voisin qui a renversé l'arrosoir.

Si nous adorons les jardins et les parcs, certains d'entre nous ont une très nette préférence pour les potagers et les vergers. Question de goût. Des mains vertes confirmées aux jardiniers en herbe, tous ont notre sympathie. Avouez quand même que nos couleurs et notre gaieté ne font pas mal dans le paysage !

Les Nainportequoi

«En Alsace, le nain, c'est comme la cigogne, la choucroute ou la Fischer, c'est sacré ! » Celui qui parle comme ça, c'est Bernard Lilian, le chanteur du groupe Nainportequoi. Évidemment, vous pouvez trouver que le jeu de mots est un peu facile, mais nous, nous les aimons bien ces petits jeunes-là (de gauche à droite : Dick, Valérie, Bernard et Corinne). Ils ont produit un disque où, figurez-vous, ils ne parlent que de nous. Écoutez plutôt :

« Sans les nains de jardin que serait notre vie
Une plaie ouverte sans Mercurochrome
Ne nous privons jamais de leur compagnie
Tant qu'il y aura des gnomes
On saura rester des mômes[…]»

Komm Herr Jesus, sei unser Gast...
und segne, was Du uns bescheret hast!

Hans Bossart
1992

Tischgebet

Ces œuvres sont des créations de Hans Bossart, un peintre suisse qui passe son temps à nous immortaliser sur la toile. Dans notre langage, nous l'appelons le Picasso du nain de jardin. Ses idées pour nous mettre en scène sont quelquefois un peu loufoques et nous font souvent beaucoup rire. Il faut reconnaître qu'il a du talent et qu'il contribue à nous faire percevoir d'une manière différente par tous ceux qui n'ont guère de sympathie pour notre race.

La créativité nanophile

Nous savons pertinemment que le reproche que font souvent ceux qui se disent « intellectuels » à ceux d'entre vous qui nous aiment bien, c'est que nous représentons la négation de toute créativité personnelle. Que vous nous prenez tout faits et que vous nous posez, en général « bêtement » ajoutent-ils, dans votre jardin. D'abord, c'est faux, parce qu'il faut prendre la peine de nous choisir, et c'est parfois difficile, nous sommes très nombreux. Ensuite, nous le voyons bien le talent avec lequel vous disposez autour de nous des fleurs qui nous vont bien au teint. Quelquefois même, vous installez vasques, fontaines, puits ou moulins. De toute manière, cette façon de raisonner est ridicule. De nos jours, quelles sont les choses qui ne sont pas achetées toutes faites ? Vêtements, bijoux, tissus, meubles et objets qui décorent les maisons, à quelques rares exceptions près, personne ne les fabrique plus soi-même, que nous sachions. La créativité réside donc dans le choix et la manière d'harmoniser entre eux les différents éléments qui composent habillement ou aménagement de son intérieur. Eh bien pour nous, c'est pareil ! Cela étant, si un jour il vous prenait l'envie de créer votre nain, rien ne vous en empêche et nous n'avons rien contre le fait que certains de nos congénères soient un rien kitsch ou au contraire très branchés. Nous vous donnons même une adresse à la fin du livre où vous pourrez vos procurer des figurines à peindre vous-même. Reste à savoir si, ensuite, nous leur donnerons une âme, c'est une autre histoire. Essayez et nous en reparlerons.

Nos confrères ci-dessous ont été peints par Jutta Griebel. Son mari, Günter, et elle-même possèdent la plus fabuleuse collection de nains qui soit. Nous parlons d'eux plus en détail pages 62 à 65. Les deux de droite, avec leur air un rien baba cool, font partie de leur collection.

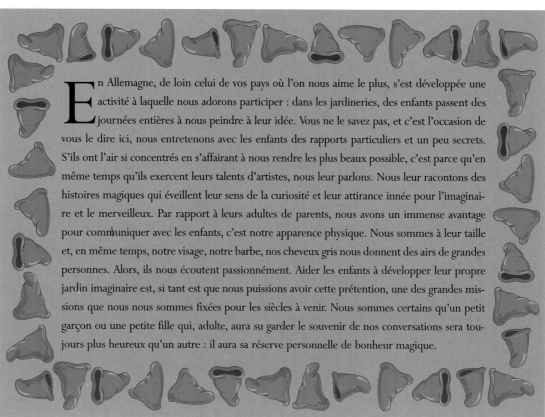

En Allemagne, de loin celui de vos pays où l'on nous aime le plus, s'est développée une activité à laquelle nous adorons participer : dans les jardineries, des enfants passent des journées entières à nous peindre à leur idée. Vous ne le savez pas, et c'est l'occasion de vous le dire ici, nous entretenons avec les enfants des rapports particuliers et un peu secrets. S'ils ont l'air si concentrés en s'affairant à nous rendre les plus beaux possible, c'est parce qu'en même temps qu'ils exercent leurs talents d'artistes, nous leur parlons. Nous leur racontons des histoires magiques qui éveillent leur sens de la curiosité et leur attirance innée pour l'imaginaire et le merveilleux. Par rapport à leurs adultes de parents, nous avons un immense avantage pour communiquer avec les enfants, c'est notre apparence physique. Nous sommes à leur taille et, en même temps, notre visage, notre barbe, nos cheveux gris nous donnent des airs de grandes personnes. Alors, ils nous écoutent passionnément. Aider les enfants à développer leur propre jardin imaginaire est, si tant est que nous puissions avoir cette prétention, une des grandes missions que nous nous sommes fixées pour les siècles à venir. Nous sommes certains qu'un petit garçon ou une petite fille qui, adulte, aura su garder le souvenir de nos conversations sera toujours plus heureux qu'un autre : il aura sa réserve personnelle de bonheur magique.

Les deux grands photographes français
Pierre et Gilles. Stars internationales,
esthètes de l'imaginaire et des couleurs, ces deux-là, ils nous plaisent vraiment.
Bien qu'ils se soient pour l'instant très peu
servis de nous dans leurs œuvres, leur mode
d'inspiration est très proche de ce que nous
souhaitons apporter aux humains : la réalité
de la vie n'étant pas toujours franchement
gaie, il faut la réinventer. À l'occasion de cette
photo, ils nous ont dit qu'ils nous trouvaient
très beaux et que ce qui était merveilleux
avec nous, c'est que nous étions tout à la fois
réels et magiques, que nous étions issus d'une
vraie culture populaire et qu'en même temps
nous laissions une immense place au rêve. En
voilà deux qui ont compris bien des choses,
et sur la vie et sur nous…

Collectionneurs avertis

Günter et Jutta Griebel sont sans doute les plus grands collectionneurs au monde de figurines nous représentant. Au départ, il y a une raison historique à cela : l'arrière-arrière-grand-père de Günter, Philipp Griebel, avait fondé en 1874 à Gräfenroda, en Thuringe, une entre-prise qui fabriquait des ornements de jardin en terre cuite. Tout à fait au début, nous ne faisions pas encore partie de ses créations…

Puis, peu à peu, Philipp Griebel rejoignit le clan de ceux qui nous comprenaient. Il devint l'un de ceux qui œuvraient pour que notre race continue d'exister. Mais la société cessa ses activités lors de la partition de l'Allemagne. Depuis la réunification, Günter et son cousin Reinhard Griebel ont repris la production de nains de jardin en céramique. Dans le même temps, Günter et Jutta ont ouvert en 1991, à Rot am See, dans le Bade-Wurtemberg, un musée qui nous est entièrement consacré. Comme vous pouvez en juger sur ces pages, ils possèdent des pièces uniques magnifiques, qui constituent un échantillon de ce que les humains ont fait de plus beau pour nous représenter.

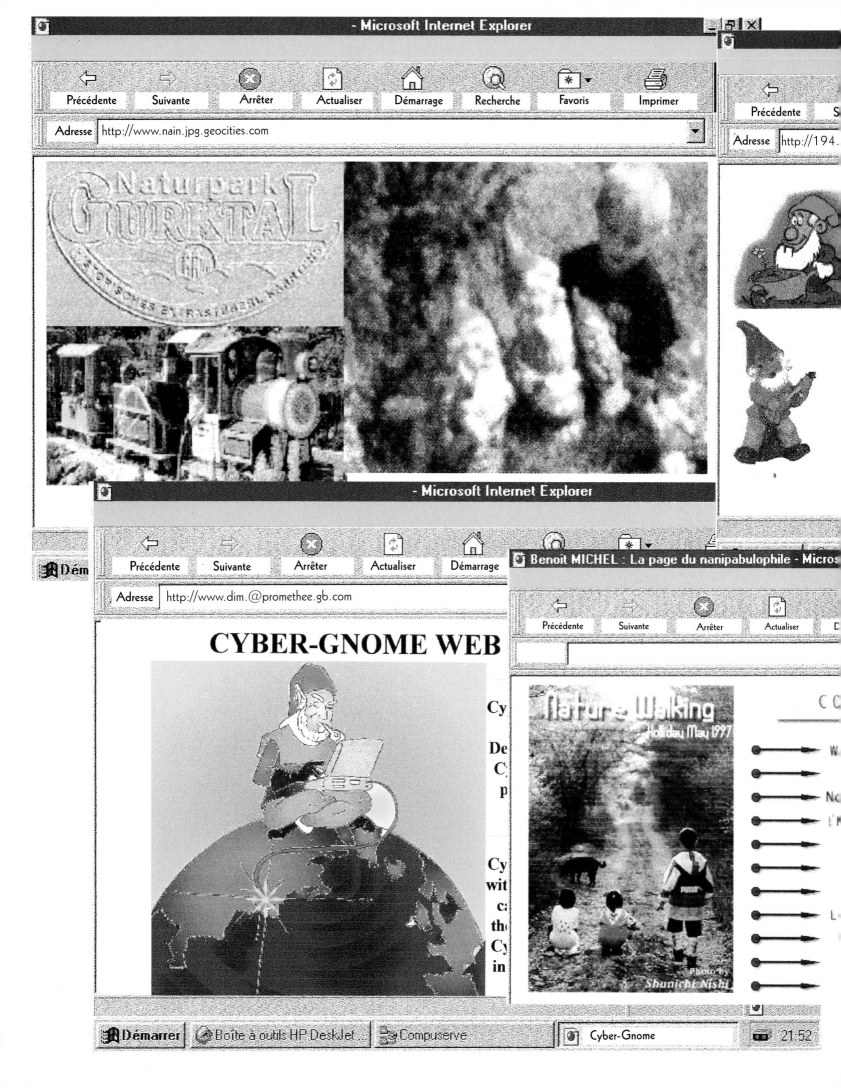

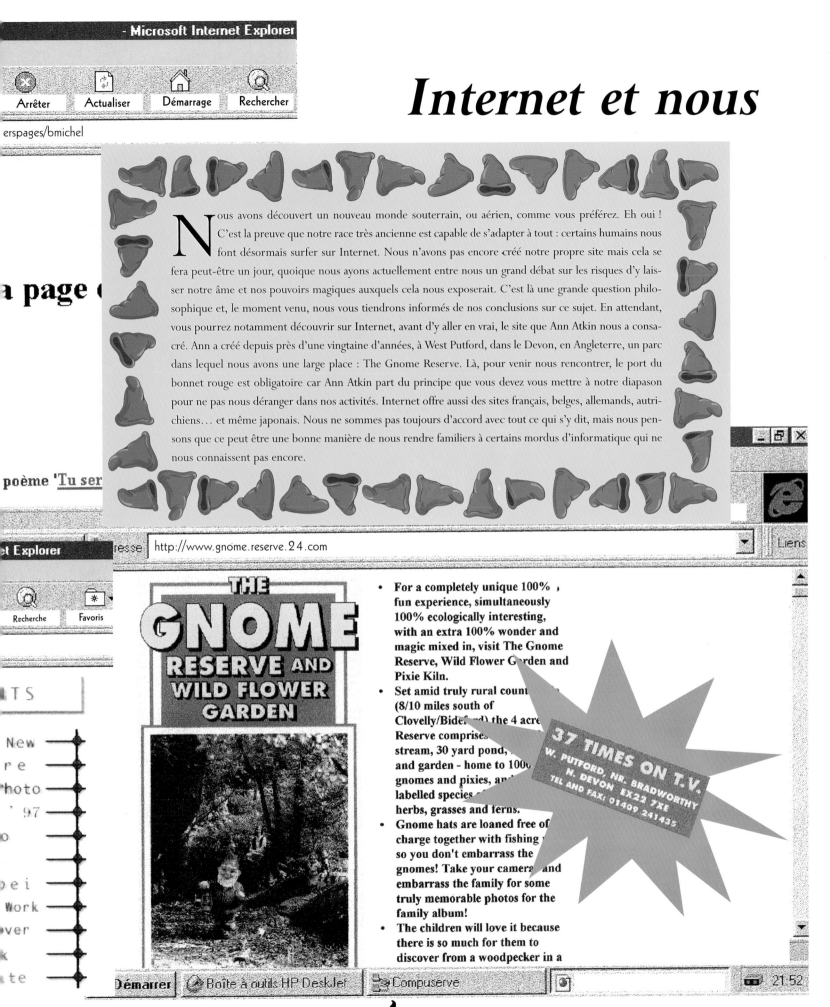

Internet et nous

Microsoft Internet Explorer

Arrêter | Actualiser | Démarrage | Rechercher

erspages/bmichel

a page (

poème 'Tu ser

Nous avons découvert un nouveau monde souterrain, ou aérien, comme vous préférez. Eh oui ! C'est la preuve que notre race très ancienne est capable de s'adapter à tout : certains humains nous font désormais surfer sur Internet. Nous n'avons pas encore créé notre propre site mais cela se fera peut-être un jour, quoique nous ayons actuellement entre nous un grand débat sur les risques d'y laisser notre âme et nos pouvoirs magiques auxquels cela nous exposerait. C'est là une grande question philosophique et, le moment venu, nous vous tiendrons informés de nos conclusions sur ce sujet. En attendant, vous pourrez notamment découvrir sur Internet, avant d'y aller en vrai, le site que Ann Atkin nous a consacré. Ann a créé depuis près d'une vingtaine d'années, à West Putford, dans le Devon, en Angleterre, un parc dans lequel nous avons une large place : The Gnome Reserve. Là, pour venir nous rencontrer, le port du bonnet rouge est obligatoire car Ann Atkin part du principe que vous devez vous mettre à notre diapason pour ne pas nous déranger dans nos activités. Internet offre aussi des sites français, belges, allemands, autrichiens… et même japonais. Nous ne sommes pas toujours d'accord avec tout ce qui s'y dit, mais nous pensons que ce peut être une bonne manière de nous rendre familiers à certains mordus d'informatique qui ne nous connaissent pas encore.

et Explorer

http://www.gnome.reserve.24.com

Liens

Recherche | Favoris

TS

New
re
hoto
'97
o
ei
Work
ver
te

THE GNOME RESERVE AND WILD FLOWER GARDEN

- For a completely unique 100% fun experience, simultaneously 100% ecologically interesting, with an extra 100% wonder and magic mixed in, visit The Gnome Reserve, Wild Flower Garden and Pixie Kiln.
- Set amid truly rural count (8/10 miles south of Clovelly/Bide d) the 4 acre Reserve comprises stream, 30 yard pond, and garden - home to 100 gnomes and pixies, an labelled species herbs, grasses and ferns.
- Gnome hats are loaned free of charge together with fishing so you don't embarrass the gnomes! Take your camera and embarrass the family for some truly memorable photos for the family album!
- The children will love it because there is so much for them to discover from a woodpecker in a

37 TIMES ON T.V.
W. PUTFORD, NR. BRADWORTHY
N. DEVON EX22 7XE
TEL AND FAX: 01409 241435

Démarrer | Boîte à outils HP DeskJet | Compuserve | 21:52

Notre vie quotidienne

Puisque nous parlons les langues de tous les animaux, nous avons toujours eu des rapports privilégiés avec eux. Comme, de plus, nous connaissons les effets bénéfiques de toutes les plantes et de toutes les fleurs des jardins et des forêts, il y a toujours eu chez nous une grande tradition qui est de venir en aide aux animaux qui nous le demandent et de les soigner. Nous aimons aussi jouer avec les écureuils ou les poissons et organiser des concerts avec la gent ailée. Nous ne savons d'ailleurs plus très bien si ce sont nos ancêtres qui ont appris aux oiseaux à chanter ou si ce sont les oiseaux qui nous ont appris à jouer sur nos pipeaux des chants d'oiseaux.

ême à la lointaine époque où nous vivions encore sous
terre, la musique a toujours fait partie de nos joyeux
moments de détente. Pipeau, trompette et tambour
sont des instruments que nous pratiquons depuis la nuit des temps.
Puis, à votre contact, nous avons complété nos orchestres avec des
instruments plus sophistiqués comme la mandoline, le bandonéon
ou l'accordéon. Les nuits d'été, nous organisons des fêtes et des
concerts dans les jardins (voir page 51). Ces petites musiques dont
vous avez l'impression qu'elles viennent du fond de vous-même
lorsque vous êtes heureux, il se pourrait bien qu'elles viennent du
pays des nains de jardin…

Original *Heissner* Keramik

71

Subrepticement, lorsque les enfants sages dorment de leur plus profond sommeil, nous venons les chercher et nous les emmenons passer quelques heures dans nos jardins. Nous leur faisons visiter nos maisons magiques, nous faisons pousser des champignons sous leurs yeux ou encore nous les faisons parler avec les animaux…

Lors de leurs visites dans notre monde, les enfants plantent aussi avec nous des fleurs et des arbustes, lisent les légendes de notre peuple, écoutent les bruits de la nature, pêchent en notre compagnie des poissons que nous n'attrapons que le temps de faire un brin de causette avec eux. Parmi les différentes tâches que nous essayons de remplir auprès de vous les humains, les heures passées avec vos enfants font sans doute partie de nos meilleurs moments. Si nous essayons de leur faire vivre quelques instants de rêve, ils nous le rendent bien. La merveilleuse complicité instinctive qui existe entre eux et nous se situe au-delà de toute magie. Tout comme lorsqu'ils jouent les artistes avec nous (voir page 58), nous essayons que chacun d'entre eux reparte de nos jardins avec sa propre malle aux trésors d'imaginaire. Souvent, lorsqu'ils grandissent, la malle s'entrouvre et, sans qu'ils y prennent garde, les joyaux qu'elle contient tombent et restent derrière eux. Mais s'ils parviennent à en conserver ne serait-ce qu'un seul jusqu'à leur passage dans le monde des adultes, nous n'avons pas perdu notre temps. Peut-être un jour parviendrons-nous à ce qu'ainsi vous gardiez tous une pierre précieuse dans le fond de votre cœur. Pour cela, tous nos pouvoirs magiques ne sont pas suffisants, il faut aussi un peu de volonté de votre part.

À l'aube de notre civilisation, nous connaissions le secret de l'hydromel, la boisson magique des dieux. Ce secret, nous ne l'avons jamais perdu, mais nous n'en dédaignons pas pour autant, lors de nos fêtes, les boissons que nous avons découvertes dans votre monde. Nous avons une prédilection pour la bière, dont certains d'entre nous peuvent même parfois abuser. Forcément, c'est la boisson nationale de deux des pays où nous sommes le mieux accueillis, l'Allemagne et l'Angleterre. Mais nous savons aussi apprécier le vin, et notamment le champagne, dont les bulles ont à notre avis un petit côté magique.

Nous avons fait usage de tonneaux bien avant que vous les découvriez vous-mêmes. Certains de nos ancêtres s'étaient même fait de leur fabrication une spécialité.

Nombre de vos légendes racontent que nous faisions, autrefois, fréquemment cadeau aux paysans qui se montraient aimables avec nous d'un fût de bière qui ne s'épuisait jamais, du moment que le bénéficiaire faisait la promesse de ne jamais regarder à l'intérieur. Eh bien, ce n'était pas des légendes, mais la vérité. La bière que contenaient ces fûts était mousseuse, claire et limpide, à une époque où, vous les humains, vous ne maîtrisiez pas encore très bien le processus de fabrication de cette boisson. Tous ceux qui s'abreuvaient à ces fûts n'étaient jamais malades et les travaux difficiles des champs devenaient d'un seul coup moins harassants. En revanche, ceux qui, dévorés de curiosité, manquaient à leur engagement, non seulement ne trouvaient à l'intérieur du tonneau que de la poussière, mais plus jamais ils ne recevaient notre visite et plus jamais ils ne pouvaient bénéficier des bienfaits que nous pouvions leur apporter.

Les activités sportives sont une découverte assez récente pour notre peuple. Mais comme nous ne sommes pas du style à faire les choses à moitié, nous explorons toutes les possibilités que nous offrent de nombreuses disciplines que vous-mêmes vous pratiquez. Les sports « terrestres », comme le football, le tennis, la boxe ou encore l'athlétisme, nous attirent beaucoup. Nous organisons même désormais nos propres jeux Olympiques. Les plus téméraires d'entre nous se lancent aussi dans des activités plus aériennes, comme le parachutisme ou la montgolfière. Quant à l'escalade, étant donné nos origines, nous sommes imbattables.

Comme le sport, les vacances font partie pour nous des relatives nouveautés mais c'est une de celles à laquelle nous nous habituons très bien. Comme vous, nous avons découvert les joies de la méditation indolente et du farniente, le bonheur de la baignade et de la bronzette. Certains de nos congénères préfèrent des vacances plus actives et quittent alors pour quelque temps leur jardin d'attache pour découvrir des pays que nous n'avons pas encore peuplés. Mais rassurez-vous, toujours ils reviennent.

Et le Père Noël, comment croyez-vous qu'il arrive à assurer sa grande mission du 25 décembre ? Si des dizaines d'entre nous n'étaient pas mobilisés pour lui venir en aide, il est certain que beaucoup d'enfants n'auraient pas de jouets dans leurs souliers. C'est bien nous les nains de jardin qui recueillons les confidences des souhaits des enfants pour les transmettre au Père Noël. Nous encore qui l'aidons à préparer tous ses paquets, alors que vous nous croyez tranquillement à l'abri dans les resserres de vos jardins ou endormis sous notre manteau de neige. Nous encore qui chargeons son traîneau et, comme bien sûr les cadeaux qu'il doit distribuer ne peuvent tous y tenir à son départ, qui lui organisons des relais dans les cavernes qu'habitaient autrefois nos ancêtres. Notre mission terminée, nous retournons sagement attendre le printemps à l'endroit d'où vous penserez que nous n'avons jamais bougé.

Une des cavernes de nos ancêtres dont nous seuls connaissons l'emplacement. C'est un ancien atelier de tonnellerie qui sert désormais de relais au Père Noël lors de la nuit de la distribution des cadeaux. Par un signal convenu d'avance, des bougies qui s'allument toutes seules et indiquent au Père Noël le chemin à suivre, nous le laissons arriver jusqu'à nous, nous rechargeons son traîneau et nous lui souhaitons bon courage pour continuer sa longue route. Avec les siècles, il y a de plus en plus d'enfants et ils sont de plus en plus gâtés ; nous sommes donc obligés, au fur et à mesure que le temps passe, d'installer un peu partout de nouveaux relais et d'être toujours plus nombreux à lui prêter main forte.

À notre image

Au moment même où se multipliaient les petites usines qui se mettaient à nous fabriquer, nous avons connu, entre la seconde moitié du siècle dernier et les années 30, une grande vogue dans la correspondance. En effet, nous étions considérés comme des porte-bonheur avec lesquels vous vous souhaitiez une bonne année ou vous envoyiez vos bons vœux pour un anniversaire. Lorsque, sur une même carte, vous nous imprimiez avec un trèfle à quatre feuilles, autre fort symbole de bonheur, nous vous laissions présager de la chance qui était réservée au destinataire ! Et que dire alors lorsque nous nous retrouvions avec un cochon, symbole de l'opulence, et un fer à cheval ! Votre langage n'a pas de mots pour exprimer ce que pouvait être la super-super-super-super-chance.

A Prosperous New Year

A Luzan

Viel Glück

Prosit Neujahr!

Familie Rode

FROHE NEUJAHRSGRÜSSE

Le capital de sympathie que certains d'entre vous ont toujours eu à notre égard vous a conduits quelquefois aussi à utiliser notre image pour vendre certains de vos produits, vanter certaines de vos marques ou décorer certains de vos objets. Cette utilisation que vous faisiez de nous ne nous a jamais déplu car elle a, dans la majorité des cas, été faite dans un esprit bon enfant. De là à dire que les produits que nous soutenions involontairement étaient détenteurs de pouvoirs magiques… Quelques-uns d'entre vous ont peut-être essayé de le faire croire à leurs concitoyens, même si c'était parfois inconsciemment, mais vous savez, la magie, cela ne se décrète pas…

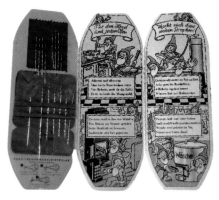

Losbrief-Lotterie

První česká továrna
ýrobu šumivých nápojů
Zal. r. 1861.

REINHARD A SPOL.
MAJITEL V. MIKEŠ
v PRAZE

MARSNER BRAUSE BONBONS SIND
NUR ECHT MIT DIESER SCHUTZMARKE
UNIO WIEN
ORIGINAL-
MARSNER-BRAUSE

Lodix
FARBFRISCH
rotbraun
die
vollkommene
Schuhpflege

Sigella
Edel-Bohner-Wachs
zur
Fußboden-
Pflege

Sidol
putzt alle
Metalle
Fenster-und
Spiegelglas

Dem genialen Erfinder des Pneumatik DUNLOP

Au revoir...

Voilà, nous espérons que désormais vous nous connaissez un peu mieux. Vous savez que vous pouvez trouver en nous des amis à la fidélité éprouvée. Comme toujours, à la dernière page, nous avons l'impression que nous aurions pu sans doute vous dire encore beaucoup d'autres choses, mais pour une première tentative, ne soyons pas plus nanophiles que nous-mêmes ! Comme toujours depuis que nous cohabitons avec vous, nous sommes tout à fait prêts à vous suivre dans l'évolution de vos habitudes et de vos goûts. Toutefois, ne nous obligez pas à aller trop loin... Et surtout, n'oubliez jamais que vous possédez tous en vous une petite part de rêve et de magie. Qu'elle est quelquefois plus profondément enfouie chez certains que chez d'autres. Mais que ceux qui le veulent vraiment finissent toujours par la trouver. Alors, à tous ceux-là, nous disons à très bientôt pour une prochaine conversation au détour de quelque pelouse ou de quelque plate-bande.

…et à bientôt !

Adresses

Pour les nains en céramique,
Maison Ernenwein
76, rue du Général-Leclerc
67640 Marmoutier
Tél. : 03 88 70 62 50´

Les Nainportequoi
Le titre de leur CD est «Sauvons les nains de jardin»
Rosed Productions
Dick Gilbert
Tél. : 06 07 11 04 88

Association internationale pour la protection
des nains de jardin (AIPNJ)
Rue Saint-Jacques, 103
CH-4052 Bâle
Tél. : 41 61 313 55 11
Fax : 41 61 313 48 67

Pour commander les nains à peindre soi-même
et ceux en céramique produits par la famille Griebel :
Das ZwergenKaufhaus
Keramik-Vertriebs GmbH
Postfach 23
D-74583 Rot am See
Tél. 00 49 7955 3021 – Fax : 00 49 7955 3330
Das Deutsche Gartenzwerg Museum-Günter Griebel
Mêmes coordonnées que ci-dessus.
Pour visiter le musée, il faut prendre rendez-vous
en téléphonant aux heures de bureau.

The Gnome Reserve and Wild Flower Garden
West Putford, Nr Bradworthy
North Devon EX22 7XE
Grande-Bretagne
Tél. et Fax : 01 409 241435
Ouvert tous les jours de fin mars à fin octobre.

Remerciements

Ce livre n'aurait pu exister sans :
- Sophie Gauderic, de la société Gardena (distributeur de Heissner en France), qui nous a aidés à organiser
la plupart des reportages et a mis à notre disposition son catalogue entier de nains.
- Jutta et Günter Griebel, qui nous ont accueillis dans leur fabuleuse collection. La plupart des nains
anciens et rares photographiés dans ce livre leur appartiennent.
Nous tenons aussi à remercier :
- Le docteur Günther Denk, président de Heissner GmbH, ainsi que Helga Nau-Eckert et Michaela Jullmann.
- Les photographes Pierre et Gilles (Fan club de Pierre et Gilles, BP 56 93310 Le Pré-Saint-Gervais, France).
Ainsi que Jules et Claude Ernenwein, Fritz et Alice Friedman et le groupe Nainportequoi.
Crédit photographique :
- pages 8 et 9, Jean-Louis Charmet ; page 51, Bernhard Diehl.
- Les documents anciens ont été photographiés dans la collection de Günter et Jutta Griebel.